Nansi a'r Nel
...wl Ysgafn

ysgrifennwyd a darluniwyd gan Roslyn Schwartz

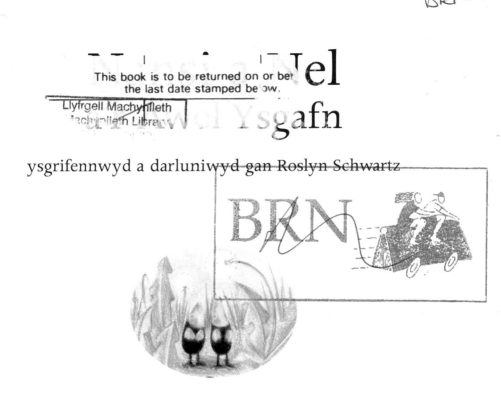

Addaswyd gan Catrin Elan

Y fersiwn Saesneg gwreiddiol:
The Mole Sisters and the Cool Breeze

Cyhoeddwyd yn wreiddiol yng Ngogledd America gan Annick Press Ltd.
© 2002, Roslyn Schwartz (testun a darluniau) / Annick Press Ltd

Y fersiwn Cymraeg hwn:

ⓑ Prifysgol Aberystwyth, 2011 ©

ISBN: 978-1-84521-467-8

Cyhoeddwyd gan **CAA (Canolfan Astudiaethau Addysg)**, Prifysgol Aberystwyth,
Plas Gogerddan, Aberystwyth, SY23 3EB (www.aber.ac.uk/caa).
Noddwyd gan Lywodraeth Cymru.

Addaswyd i'r Gymraeg gan **Catrin Elan**
Golygwyd gan **Delyth Ifan a Fflur Pughe**
Dyluniwyd gan **Richard Huw Pritchard**
Argraffwyd gan **Argraffwyr Cambria**

Diolch i Mairwen Prys Jones am ei harweiniad gwerthfawr.

"Mae'n boeth," meddai
Nansi a Nel.

"Ofnadwy."

"Beth fyddai'n braf …

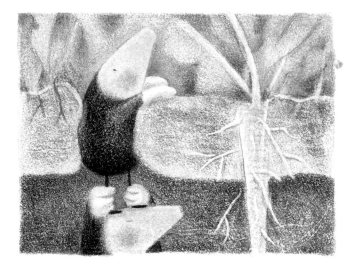

… fyddai awel fach ysgafn."

"Awel?" meddai dant y llew.

"Pa awel?

Does dim awel wedi bod
ers wythnosau."

"O," meddai Nansi a Nel.
"Trueni."

Doedd dim amdani ond
chwifio dail.

Swwsh swwsh

"Am braf!"

"Esgusodwch fi," meddai dant y llew. "Beth amdana i?"

"Aros funud," meddai
Nansi a Nel.

Swwsh swwsh

"Dyna welliant," meddai dant y llew.

"Beth amdanon ni?"
galwodd y lleill.

"Pob dant y llew?"
meddai Nansi a Nel.

"Fe wnawn ein gorau."

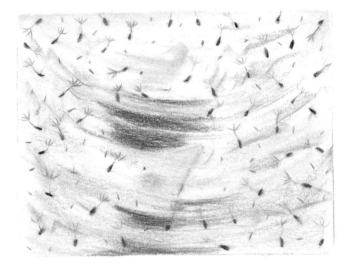

Swwsh swwsh

"Dyna welliant,"
meddai'r blodau.

"Ond dim i ni!" meddai
Nansi a Nel.

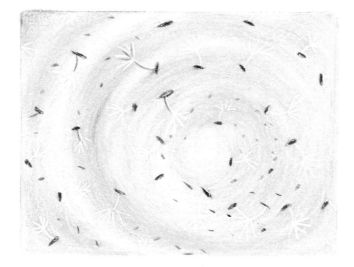

Ac yna'n sydyn daeth awel ysgafn.

"Aaaaa," meddai'r ddwy chwaer.

"Dyna welliant."

"Nawr mae'n ddiwrnod braf

i chwarae

yn yr awel fach ysgafn."

Mwy o straeon am Nansi a Nel:

Nansi a Nel a'r Wenynen Fach Brysur
Nansi a Nel a'r Diwrnod Glawog
Nansi a Nel a'r Cylch Tylwyth Teg
Nansi a Nel a'r Noson Olau Leuad
Nansi a Nel a'r Mwsog
Nansi a Nel a'r Gwenith Gwyn
Nansi a Nel a'r Wy Glas
Nansi a Nel a'r Cwestiwn
Nansi a Nel a'r Ffordd Adref